Qu'est-ce que le numérique?

Milad Doueihi

Qu'est-ce que le numérique ?

Presses Universitaires de France

Du même auteur

Histoire perverse du cœur humain, Paris, Seuil/La Librairie du XXIe siècle, 1996.

Le Paradis terrestre. Mythes et philosophies, Paris, Seuil/La Librairie du XXIe siècle, 2006.

La Grande Conversion numérique, Paris, Seuil/La Librairie du XXIe siècle, 2008, rééd. suivi de *Rêveries d'un promeneur numérique*, Paris, Points, 2011.

Solitude de l'incomparable. Augustin et Spinoza, Paris, Seuil/La Librairie du XXIe siècle, 2009.

Digital Cultures, Cambridge Ma., Harvard University Press, 2011.

Pour un humanisme numérique, Paris, Seuil/La Librairie du XXIe siècle, 2011.

L'Imaginaire de l'intelligence, Paris, Seuil/La Librairie du XXIe siècle, à paraître en 2014.

ISBN 978-2-13-062718-0

Dépôt légal — 1re édition : 2013, octobre

© Presses Universitaires de France, 2013
6, avenue Reille, 75014 Paris

Le numérique est un mot qui est passé rapidement dans notre vocabulaire. Mais que désigne-t-il à proprement parler[1]? Comment comprendre et définir cet objet, ce phénomène qui semble destiné à transformer notre quotidien et à reconfigurer notre réalité? Les dictionnaires restent un peu perplexes devant le numérique, et leurs définitions ne renvoient souvent qu'à l'aspect étymologique et technique – un secteur associé au calcul, au nombre – et surtout aux dispositifs opposés à l'analogique. Dans notre usage, le numérique nomme bien autre chose. Si je me pose la question, c'est qu'il me semble qu'elle soulève une difficulté particulière et à mes yeux inédite, et qui est inhérente au numérique dans son déploiement actuel,

1. Ce texte reproduit une conférence, légèrement modifiée, prononcée à l'Institut Français de l'Éducation en mai 2012. Je tiens à remercier Yves Winkin pour son chaleureux accueil.

mais une difficulté éclairante car elle est capable de nous permettre de mieux cerner cette complexité. Une difficulté à la fois épistémologique, institutionnelle et sociale, voire économique et politique (presque tous les secteurs – publics ou privés, institutions culturelles, etc. – sont concernés). Que tous les domaines de nos sociétés soient touchés par le numérique et contraints de repenser leurs méthodes et surtout leurs valeurs n'est qu'un symptôme de la mutation globale portée par le numérique.

Il va de soi que je n'ai pas l'intention de proposer une quelconque définition programmatique du numérique. Par contre, il me semble que la notion d'humanisme numérique, en partie à cause de sa fluidité et de son ancrage historique – son inscription dans la longue durée –, est capable de nous permettre de mieux apprécier la transformation culturelle induite par le numérique, surtout dans un contexte dans lequel il est de plus en plus difficile de trouver un point de repère qui permette un regard à la fois prospectif et vigilant. Cette difficulté est constitutive de la culture numérique. Elle reflète le fait que le numérique par sa nature même opère des ruptures dans une continuité apparente, portant sur des valeurs, des objets et des pratiques culturelles, nous offrant ce qui semble de simples reprises ou de modestes modifications ou transpositions de formes ou de formats (le cas du livre imprimé est ici exemplaire de cette propriété du numérique à doubler, au moins dans un premier temps, tout ce qu'il convertit). Cette conversion continue et, en raison de la socialisation des pratiques numériques, émane en grande partie du statut complexe du code informatique dans l'état actuel de notre civilisation.

Le code, agent et vecteur de cette nouvelle civilisation, on l'a bien dit, constitue une rupture avec certaines de nos pratiques lettrées; il fragilise radicalement nos traditions juridiques, nos modèles économiques et notre rapport avec l'écriture et tout ce qu'elle a autorisé et rendu possible. L'humanisme numérique est, dans ce contexte, un effort pour penser la transformation culturelle du calcul et de l'informatique en général en ce que l'on a choisi de désigner en français par le nom de «numérique». C'est dire qu'il se démarque nettement des ambitions d'une «science» du net (comme la Web Science[1] voulue par Tim Berners-Lee) ou d'une science de la culture (comme celle formulée jadis par les néo-kantiens et leurs héritiers et aujourd'hui par certains tenants d'une sémantique généralisée et largement confortée par le

---

1. Pour la Web Science, voir http://webscience.org/web-science/about-web-science/ et pour une idée des projets associés à cette science émergente: http://webscience.org/web-science/studying-web-science/ Et un exposé de Tim Berners-Lee: http://www.w3.org/2007/Talks/1018-websci-mit-tbl/#(1)

formalisme inhérent à l'informatique actuelle) dont le projet consisterait à formaliser et à saisir, par le calcul informatique et ses abstractions, les gestes et les vécus culturels de nos sociétés. Car l'informatique a cette propriété d'encourager (pour ne pas dire de forcer) le passage et l'expression de toute activité en ses propres termes. Une tendance qui accompagne et éclaircit son histoire. C'est l'une des raisons pour lesquelles il faut revisiter et relire les textes fondateurs de l'informatique afin d'en dégager les spécificités et surtout de montrer leurs valorisations culturelles au-delà des usages qui en ont été faits par les sciences dites dures.

Informatique et numérique

Un premier pas sur cette voie consisterait à reprendre la distinction entre informatique et numérique. Pourquoi ? Parce qu'elle nous invite à évaluer à la fois l'évolution de nos rapports avec cet invisible du numérique qu'est souvent le code, et en même temps à localiser les confrontations valorisantes entre les conventions socio-politiques et les contraintes introduites par l'informatique dans l'ordre social. Ensuite, parce qu'elle saisit une spécificité parfois oubliée de l'informatique. Si l'informatique a commencé comme une branche des mathématiques, elle a rapidement trouvé son autonomie et son statut de nouvelle science à part entière. Puis, chose relativement rare dans l'histoire des sciences, elle s'est transformée en industrie (il n'y a, historiquement, que la chimie qui ait réussi une telle mutation et, de nos jours, la biologie et les sciences du vivant, mais la dimension industrielle des sciences du vivant est de plus en plus indissociable de l'informatique). Fait unique, elle est également devenue, depuis au moins une vingtaine d'années, une culture. Et c'est bien cette spécificité culturelle, cette orientation sociale qui caractérise et en fin de compte définit en quelque sorte le numérique. Mais, bien plus qu'une simple association avec une notion vague de la culture, le numérique nous montre quelque chose d'essentiel et qui a été occulté : la culture est avant tout partage. Sans partage il ne peut y avoir de culture, peu importe la définition qu'on en donne. Partage du patrimoine et de l'histoire, partage du savoir et du savoir-vivre, et finalement, partage des moyens de production et transmission de ces expériences et de ces savoirs.

Ainsi, ce n'est pas un hasard si les premières crises occasionnées par le numérique ont été associées aux pratiques de partage. Et ce n'est pas une surprise si le partage reste le point névralgique des négociations économiques et politiques, difficiles et parfois saugrenues, autour des moyens de gérer les effets engendrés par ce partage sur le lien socio-politique et ses économies. Dans ce contexte, on peut dire que l'informatique, avec sa capacité à la fois à encourager le partage et à le contrôler (ou du moins à le contourner), se singularise, en partie, et surtout se caractérise par un accès plus large et des modes d'échange qui souvent occultent, en tout cas à l'ère des plates-formes et des applications mobiles, la dimension informatique en quelque sorte perdue depuis le passage vers des interfaces graphiques du numérique qui ne tend qu'à se nourrir et à alimenter toutes les pratiques du partage. Cette simple réalité culturelle explique que le numérique soit devenu le site de conflits de plus en plus prononcés, opposant souvent des conceptions radicalement distinctes concernant le statut et l'engagement du citoyen et ses façons, héritées d'une autre époque et fondées sur des valeurs largement dépassées par le numérique. La valeur économique est de nos jours soumise aux écarts entre un retour en force du domaine public, du bien commun portés par le partage et l'accès devenu droit grâce au numérique (des notions qui ont une longue histoire et surtout une autre dynamique de valorisation économique et sociale) et le marché tel qu'on l'a connu depuis la fin des Lumières[1].

---

1. Pour une nouvelle perspective économique plus adaptée aux réalités de l'environnement numérique, voir les travaux en ligne de Philippe Aigrain autour des « échanges non marchands », et surtout « non sharing » [http://www.sharing-thebook.com].

La dimension industrielle de l'informatique est insé-
parable de sa transformation culturelle, car elle repose
sur la tension entre la naturalisation des pratiques
culturelles du partage et les infrastructures qui les
accompagnent (et parfois, pour ne pas dire souvent, les
exploitent). La chimie comme industrie est aujourd'hui
au cœur de nos débats écologiques, de nos rapports
avec notre environnement et la nature. Mais le développement durable est indissociable de l'infrastructure
informatique, surtout à l'âge du Cloud Computing. La
biologie quant à elle, et en grande partie grâce à une
convergence avec le numérique (ou si l'on veut, l'informatique), est actuellement en voie de devenir une
industrie à l'échelle de l'informatique et de la chimie.
Et la biologie ou les sciences du vivant façonnent
également l'informatique, de la conception des algorithmes, la gestion de la mémoire, à la conception
des interfaces, et suscitent des interrogations éthiques
dans leur manière de modifier nos idées concernant le
vivant et l'humain. Elles promettent en même temps
une mutation inédite dans la perception et la «gestion»
du vivant.

Le numérique, à son tour, nous invite à nous interroger sur ces questions touchant à la fois aux individus
et au collectif, mais également sur d'autres aspects
globaux car il est devenu indissociable de presque
toutes les activités humaines, du moins dans les sociétés

occidentales. Ainsi, on retrouve les questions éthiques, les problèmes écologiques (les matériaux utilisés dans la fabrication des outils et gadgets, les Data Centers et leurs effets sur l'environnement, etc.). Mais on est également confronté à des difficultés juridiques (par exemple, notre gestion de la propriété intellectuelle), économiques (pour tout ce qui concerne la notion même de propriété, fragilisée dans sa version tradition-nelle et consacrée par la nature même du code et de l'objet numérique), à de nouvelles réalités politiques (Wikileaks entre autres et l'activisme hacker, le vote électronique et les difficultés qu'il soulève, le rôle des réseaux sociaux dans les campagnes électorales, etc.), historiques (dans nos rapports avec le patrimoine, l'héritage en voie de numérisation et sa différence avec le numérique lui-même) et sociales (l'émergence des villes intelligentes, pour s'en tenir à un seul exemple impliquant l'aménagement du territoire et les compé-tences spatiales des citoyens[1]).

---

1. De la page d'accueil (*Home Page*) à la ville et la maison. Disons la demeure. C'est le nouveau paysage qui se dessine avec le numérique aujourd'hui. La ville intelligente (*Smart City*), terre promise qui semble conjuguer gestions de données, participation citoyenne et interactivité, n'est, en fin de compte, en tout cas dans sa version la plus idéale et la plus complète, qu'un reflet de la conversion de la manière dont on a commencé à vivre dans l'environnement numérique. Sur ces questions, je me permets de renvoyer à mon livre *L'imaginaire de l'intelligence* (Paris, Seuil, à paraître en 2014).

Cette richesse, partagée entre une tendance algorithmique à forte dose normative et une dynamique de l'efficacité des usages, explique en grande partie la dimension véritablement globale de la culture numérique. La présence globale du code ne doit pas nous faire oublier sa diversité, ses déclinaisons diverses, sa capacité à peupler les sites et les lieux les plus épars. Mieux encore, elle rend compte du fait que le numérique est devenu en quelque sorte un mot ambivalent signifiant à la fois une chose précise et des activités variées. Le numérique, en bref, n'est pas encore (et peut-être ne le sera-t-il jamais) une discipline académique autonome, car il implique une radicale modification du paysage intellectuel (de même qu'il redessine notre paysage social) comme de nos rapports avec la spatialité et la temporalité.

Le code, un être culturel

Souvenons-nous que le code n'est pas simplement et exclusivement normatif: c'est un être culturel qui véhicule des présupposés et des préjugés et qui, dans son déploiement, concrétise des imaginaires et produit des espaces habitables et habités, peuplés par nos concitoyens et leurs doubles, dans des mondes inventés et modifiés par les usages effectifs. C'est dans ce sens, et au-delà d'une esthétique de l'élégance mathématique, que l'on peut évoquer une poétique et une politique du code. Car le code, surtout depuis le virage vers les API (Application Programming Interface), la circulation des données (Big Data) et les modes d'accès qui les accompagnent, est devenu une sorte de vulgate, de littérature, une littérature comme il se doit hybride, mais portée notamment par une forme d'écriture lettrée[1] jamais purement individuelle, toujours nécessairement collective ou participative car elle ne peut exister et prendre sens à travers une modification sans précédent du contexte, de tout contexte numérique ou numérisé.

Contexte modifié veut également dire autre façon de lire. Le contenu en soi, dissocié de sa forme, de son format et de son inscription dans un système d'écriture permet une première discrimination. Celle de la valeur de tel ou tel énoncé ou discours, trace ou inscription, surtout dans un double contexte de surabondance et de contraintes économiques. Ce qui explique en partie les mutations dans l'espace des grandes institutions culturelles et dans leurs missions pédagogiques, qui est aussi un rappel à l'essentiel : les archives et les institutions culturelles, vouées à la préservation et la transmission de la mémoire collective, ont pour mission première

---

1. Donald E. Knuth, *Literate Programming*, Stanford, Center for the Study of Language and Information, 1992.

l'accès le plus ouvert et le plus souple au contenu. Au lieu de la structure, au lieu des monuments, il faut inventer des accès qui, sans mettre en danger l'objet historique, permettent une consultation des pratiques numériques citoyennes. Le contenu est comme le sang qui circule dans le corps et qui fait vivre le système. Et l'accès au contenu est la condition de toute liberté de penser et de toute démocratie. Une première forme de littératie est ainsi nécessaire, celle de la maîtrise des enjeux éthiques et politiques de l'accès, voire de la neutralité du net. Mais, bien au-delà de cette première dimension, c'est la forme et l'environnement de la transmission et des formations qui sont à réimaginer en fonction des effets de l'environnement numérique.

Le code a une biographie, une généalogie. Il se comporte parfois comme un individu. C'est là un lieu commun qui mérite une vraie interrogation. Car ce vocabulaire naturalise l'informatique et inscrit son évolution et son statut dans un cadre de référence, un contexte qui nous est si familier qu'il voile les déplacements induits par une telle naturalisation. Il a une capacité remarquable de survie car il est le produit d'une pensée de l'information et de la transmission. Ce n'est pas un hasard si, pour décrire son déploiement, on reprend des figures de la contagion, de la contamination, de la propagation, c'est-à-dire des figures de l'animation et de la circulation, voire de la reproduction du vivant.

La technique, l'informatique, dans sa production et ses usages, constitue ainsi un corps, et ce corps forme, dans sa réalité sociale, le numérique. Un corps textuel et discursif, un corps social et un corps imaginaire mais incarné. Un corpus résultant des rapports dynamiques entre code, interfaces, et usages. C'est bien ce corps, à la fois social et humain, algorithmique et abstrait, hybride donc, qui introduit les nouveaux agents de la culture numérique, de l'avatar à la convertibilité généralisée. Ce corpus façonne le regard de l'humaniste numérique. On se retrouve ici sur un terrain qui nous est familier, celui des rapports entre l'évolution de pratiques culturelles ou scientifiques (car la science, toute science, est une configuration culturelle) et le déroulement de la vie humaine (un modèle qui n'est pas simplement théo-logique mais qui a également servi les scientifiques, de Pascal à Newton). S'il est vrai que le code vieillit, il est également vrai que la culture qu'il produit est en quelque sorte dans une enfance ininterrompue. Cette enfance infinie de la technique informatique, qui ne cesse de se réinventer et de convertir (comme un organisme qui ne cesse de s'adapter à son écosystème), au fur et à mesure, une plus grande partie des activités humaines, est un point déterminant de la mythologie du numérique, de ses promesses et de ses défis. À la fois innocence et potentiel sans limites, elle devient le lieu de la ruse, d'une *métis* induite par la technique (certains parlent d'une «blessure technique», mais c'est un autre sujet). Une mythologie nourrie de science-fiction, et qui abrite les aspects «traditionnels» pour reprendre l'expression de Claude Lévi-Strauss, c'est-à-dire tout ce qui échappe à la rationalité algorithmique de l'informatique, au calcul et tout ce qui se dérobe à toute forme de mesure et de précision rationnelle. Pour rester encore un instant avec l'anthropologue, la société numérique, dans sa volonté de tout saisir, de tout mesurer, de tout tracer, s'inscrit dans ces gestes d'exclusion auxquels il faut résister et qu'il faut détourner. La tendance absolutiste du numérique nous incite à développer des stratégies et des politiques plus adaptées aux réalités des contraintes implicites de l'environnement numérique. Il ne s'agit point ici de faire appel à un privilège du réel et du concret contre un virtuel simplifié, mais plutôt d'une invitation à penser l'échelle de la conversion numérique en ce qu'elle est incapable de mettre en œuvre et de représenter. La machine fait rêver, mais c'est bien l'homme qui rêve. Et le numérique ne cesse de quêter le rêve de la machine elle-même avec ses transformations de l'humain.

La confiance sociale

L'informatique est la science de l'information et du discret, et le numérique, dans sa dimension socioculturelle, modifie l'empirique, l'insérant dans une logique génétique qui façonne le passage de l'information à la trace et finalement aux données. C'est dans ce premier sens que la dynamique informatique-numérique explique la mutation de la nature de l'expérience – dans le sens d'un vécu, du concret – qui est en cours aujourd'hui. L'ère des données, avec ses défis et promesses, ses pièges et ses utopies, ne fait qu'exprimer cette transformation du quotidien au sein de l'environnement numérique et de ses mesures. L'identité numérique, individuelle autant que collective, est de plus en plus soumise à cette contrainte des données et de leur puissance économique. Plus encore, l'identité numérique participe, en raison de la nature de l'environnement numérique actuel, à une nouvelle économie cognitive, celle de la trace et de la donnée (personnifiée le plus souvent par les moteurs de recommandation) qui, elle, est symptomatique de la conversion, plus importante encore, des intentions, des volontés, bref du comportement, et de leur mesurabilité selon des critères internes au numérique. Cette conversion met en lumière un double mouvement : d'une part, une convergence entre un paradigme de la recherche, de l'index, valorisé par ses propres critères d'adéquation et de pertinence, et d'autre part, un principe radicalement différent, celui de la recommandation, exploitant l'extensibilité de la proximité et du voisinage (géographique, sémantique, social, etc.) et se fondant sur une instrumentalisation de la sociabilité. La recommandation implique une transformation de la culture de l'algorithme elle-même car elle effectue le passage ou du moins le mariage de la recherche classique avec l'injonction des repères dits sociaux. Certes, l'algorithme PageRank incorporait déjà une première version du social, mais cette dimension était secondaire dans la validation du résultat de la recherche[1]. Aujourd'hui, la géolocalisation, la langue, l'historique social (devenu par ailleurs inévitable) sont des facteurs dotés d'une plus grande importance permettant une diversification des résultats, déclinés en fonction des identités, de leur point d'accès et de leur réseau social s'il est accessible au moteur de recherche.

En l'occurrence, le cas de Google est exemplaire, surtout par ses efforts pour s'adapter et adopter le social dans ses services. Google Instant, par exemple, illustre cette volonté de «simplifier» la recherche : il l'inscrit, si l'utilisateur l'accepte, dans le cadre d'un contexte dit social, qui traduit une forme de confiance partagée avec les participants dans l'espace d'une convivialité tracée et censée être plus pertinente. Le contexte change et avec ce changement advient un nouvel ordre, celui

---

1. Sur PageRank, voir les travaux de Dominique Cardon, «Dans l'esprit du PageRank, Une enquête sur l'algorithme de Google», *Réseaux*, 2013, 177, p. 63-95. Disponible en ligne [http://halshs.archives-ouvertes.fr/].

des données et de leurs interprétations par les divers modèles de classement algorithmique. On est tenté de voir dans ce tournant une variation numérique sur le « fait social total » introduit jadis par Marcel Mauss[1]. Car c'est bien ce désir de totalité, cette quête d'exhaustivité qui anime la survalorisation des données. L'enjeu ici est de taille puisqu'il s'agit du passage d'une maîtrise de la prévision à un usage subreptice de la prescription.

En fin de compte, c'est la notion même de contexte qui est en mouvement permanent. Et ce mouvement nous est en effet présenté comme le retour de l'humain, le triomphe de la personnalisation et le résultat du social numérique. Big Data et plus récemment Long Data sont une forme collective de l'intensité de la relation dans sa version mesurable et quantifiable. La relation comme un lien, mais aussi comme une unité de mesure. Le passage de l'informatique au numérique a rendu possible l'association d'une version de ce qu'est un calcul avec ce qui est calculable. Autrement dit, c'est la raison computationnelle, qu'il ne faut cesser d'interroger et de renvoyer à son histoire et son archéologie, ses mythes fondateurs, qui impose un chemin amenant

---

1. Marcel Mauss, *Sociologie et anthropologie*, Paris, Puf, « Quadrige », 1950, rééd. 2013, et l'introduction de Claude Lévi-Strauss qui note déjà, en renvoyant aux pères de la science de l'information, que « le problème ethnologique est donc, en dernière analyse, un problème de communication… » (p. XXXII).

à de l'information, à la relation et au bout du chemin à la valeur. Ainsi, le calcul ne fait que mettre en relief des manières de faire monde avec les traces et les données, il ne fait que produire des récits (qui nous sont souvent présentés comme les dernières innovations technologiques). Il ne s'agit point de nier ici la nouveauté de l'accès aux données ni de leur ôter leur importance et leur pertinence. Mais il reste qu'il nous faut élucider les manières de lire et d'interpréter ces données et la façon dont ces méthodes pèsent sur nos sociétés.

Ce statut émergent de l'information, des données et des nouveaux contextes de leur collecte et de leur divulgation nous invite à revisiter les modèles constitutifs de cette herméneutique de l'information. Les concepts et les modèles fondateurs (on pense ici aux textes d'Alan Turing, John Von Neumann, Norbert Wiener, Claude Shannon, etc.) ne sont pas nécessairement déterminants dans la mesure où ils façonnent toujours nos rapports avec cette exploitation du calcul, mais ils restent éclairants quant aux choix qui ont été faits dans les premiers développements de l'informatique et à leurs déplacements dans le monde numérique. La matière première, pour ainsi dire, n'est plus la même, et le concret, le vécu, l'empirique ne sont plus non plus facilement dissociables du numérique. Ainsi, l'informatique se traduit par la transformation de l'interface qu'est le numérique en une recomposition du monde, de notre habitat et de nos identités. Du discret au continu, dans le mouvement d'une conversion de plus en plus triomphante, de plus en plus transparente.

Dans cette perspective, on peut proposer une première approximation de ce qu'est le numérique : un écosystème dynamique animé par une normativité algorithmique et habité par des identités polyphoniques capables de produire des comportements contestataires. Cette dualité fait écho, nous semble-t-il, à un dualisme originaire, celui qui a motivé le développement informatique : le calcul et le penser. Quelles sont les relations entre les deux, quels sont les liens entre la calculabilité et la pensée ? C'est bien cette interrogation qui semble inspirer le mythe premier de l'informatique générale, celui de l'intelligence.

Mais au-delà de ce clivage, on retrouve une condition qui nous est familière. C'est celle de l'écart, en Occident, entre un universalisme de la raison, d'une forme de rationalité absolue, associée le plus souvent aux sciences, et un relativisme culturel qui, lui, privilégie une diversité de manières de voir et de faire. La tension productrice entre informatique et numérique, entre une science et une culture, n'est que le retour de ce clivage déterminant. L'humanisme numérique est en quelque sorte l'expression de cette condition de l'individu occidental devant une science devenue une industrie et qui est en train de radicalement transformer les objets, et surtout les objets culturels, selon ses propres critères formalistes et de mesurabilité, et la circulation, le partage des héritages et des valeurs au-delà de tout calcul. L'imaginaire social constitue l'enjeu premier de la culture numérique.

Ainsi, c'est bien cette dimension imaginaire, un imaginaire de l'intelligent et de l'intelligence, un imaginaire de la fiction technique et de ses pratiques (écriture et lecture) qui est le moteur de la grande mutation numérique. Pour en donner un exemple, j'aimerai évoquer quelques éléments de cette écriture. Cette écriture se déploie tout d'abord par la lecture, par une lecture, pour reprendre l'expression d'Alain Giffard, industrielle[1] mais qui est aussi automatique («untouched by a human hand» comme le disait fièrement le premier slogan de Google News). Cependant, à la différence de l'écriture automatique des premiers surréalistes en quête de l'inconscient et des mystères du langage poétique, la lecture automatique est largement normative. Elle transforme la mesurabilité en une nouvelle forme de persuasion sociale, modifiant les repères argumentatifs et les critères de pertinence. La mesurabilité s'érige inéluctablement comme critère : à la fois unité et pertinence dans un contexte défini par

---

1. Alain Giffard, *Critique de la lecture numérique*, Bulletin des Bibliothèques de France, 2011, tome 65, n° 5. En ligne [http://bbf.enssib.fr/consulter/bbf-2011-05-0071-013].

les traces et les données supposées représenter sinon des intentions au moins des repères efficaces (la sémantique s'érige comme l'actualisation des liens entre traces et intention, alors que le sémantique, pour reprendre la distinction cruciale d'Émile Benveniste[1], désigne le contexte qui fait sens).

Ainsi en témoigne une nouvelle construction de la confiance sociale fondée en grande partie sur cette dimension auto-industrielle et s'autorisant de la puissance croissante des algorithmes et des données partagées. Lecture sociale et lecture industrielle sont les produits des algorithmes et de la nécessité d'automatiser des pratiques d'écriture (comme dans le cas de Wikipedia) et de lecture (comme dans le cas des moteurs de recherche). Cette automatisation est en même temps une nouvelle autonomie, inhérente à la logique de la recommandation qui se légitime dans sa survalorisation du facteur social tel qu'il investit le numérique et ses plates-formes comme vecteur de pertinence, qui n'est souvent que variation sur la proximité (géographique, relationnelle ou sémantique). Le voisinage n'est plus simplement sémantique, incorporant des concentrés de comportements et de traditions, il est surtout mesure : identification

---

1. Émile Benveniste, *Dernières leçons*, 1968 et 1969, Paris, Seuil/Gallimard, «Hautes Études», 2012, p. 109 et p. 114.

et mesure de traces censées incarner des intentions et refléter des choix discrets, volontaires et toujours pertinents. La mesurabilité est le moteur d'une redéfinition des catégories constitutives de la culture portée par la lecture automatique. La mesurabilité modifie l'argumentation (on le constate de plus en plus par le biais des visualisations) et subrepticement instaure de nouveaux critères de pertinence et de légitimité. C'est ainsi que la sociabilité numérique est une nouvelle façon de faire société : lecture automatique de soi (en fonction des catégories du profil et de ses modulations), l'identité se construit dans un échange entre fragments discursifs et actions en réseau. Des interventions, des associations, des rapprochements, des rencontres fortuites, portées par les similarités et les liens de parenté d'un type nouveau, entre catégories et position sur un réseau et finalement des formes d'association productrices de sens et de pertinence, ce sont les particules élémentaires de l'identité numérique. Et cette identité appelle une autre manière d'informer et de former.

Ces problématiques s'illustrent parfaitement dans les jeux vidéo (pour ne pas évoquer la mode des Serious Games et leurs usages possibles comme modèles dans tous les domaines), qui sont devenus (mais c'était déjà le cas avec le premier *Tron*...) des lieux d'expérimentation dans tous les sens du terme.

Dans cet environnement, l'humain se transfère au monde virtuel car les vrais enjeux, le véritable conflit se joue dans le nouvel espace, à l'intérieur même de la machine. Transfert, certes, mais également transformation du code en extension, en augmentation de l'humain. Si *Tron* avait déjà construit ce paradigme, après des modèles plus anciens et plus biologiques (*The Fantastic Voyage*[1]), ce sont maintenant les romans contemporains, comme ceux de Neal Stephenson ou d'autres, qui exploitent ce va-et-vient continu et de plus en plus transparent entre l'espace ludique et le réel. L'intérêt de ces méditations résident à mon sens dans une domestication de l'humain au sein même de l'espace de la machine. Si j'insiste sur ces échanges entre les espaces réels et virtuels, entre le corps humain et le corps technique, c'est que ce sont les interfaces entre ces formes de corporéité qui organisent et forment les articulations de la culture numérique. Une culture qui a produit un tout nouveau contexte : entre le principe de la vie biologique (survie, reproduction, évolution) et l'intelligence du contexte historique. S'adapter, adapter et faire adapter, tels sont les mots d'ordre du nouveau contexte. Dans cette évolution, c'est le monde qui se transforme lentement mais sûrement en interface généralisée au numérique.

---

1. Film réalisé par Richard Fleischer et sorti en 1966.

Transhumanismes

Comme on le voit, on est sans cesse en train de naviguer entre sciences et culture. C'est cette inévitabilité qui nous a conduit à formuler l'humanisme numérique. Peut-être faut-il dire ici quelques mots sur ce choix d'«humanisme numérique». Sans reprendre ce que j'ai essayé de dire dans le passé[1], il a toujours été pour moi crucial d'opposer l'humanisme numérique aux différentes écoles transhumanistes, post et cyberhumanistes qui sont aujourd'hui les prophètes d'une nouvelle humanité, pleine de promesses et bénie de tous les bonheurs. Cette utopie d'un âge d'or sans précédent, portant parfois le nom de Singularité, et qui repose sur une convergence prochaine et inévitable, nous dit-on, du vivant et de l'intelligent, de l'homme et de la machine, veut effacer, souvent inconsciemment, l'héritage troublant des rapports entre les sciences et leur usage parfois violent, souvent meurtrier. La sélection artificielle, par exemple, se transforme ici en une potentielle sélection universelle. Mais, à regarder de près le discours transhumaniste, on retrouve rapidement des éléments familiers : un double héritage des Lumières, une émancipation de l'individu et une

1. *Pour un humanisme numérique*, Paris, Seuil, «La Librairie du XXIᵉ siècle», 2011.

croyance dans le pouvoir presque absolu de la science. Entre les deux se dessine un partage fondamental qui ne cesse d'agiter les débats autour de l'avenir du genre humain. Entre, d'une part, le choix individuel, devenu droit, et d'autre part, une idéologie de la science qui a le potentiel de réinventer le déterminisme (déterminisme porté par un formalisme inhérent à l'informatique), se profilent des orientations religieuses et des idées politiques. Une simple définition générique du transhumanisme (ce nom désigne en effet des groupes divers avec des idées parfois assez divergentes) : le transhumanisme cherche la libération et l'amélioration de l'individu, non plus exclusivement grâce à l'éducation et au perfectionnement de la raison selon le modèle kantien, mais grâce aux technologies informatique et génétique. Ainsi, le « même » [profession de foi] transhumaniste déclare qu'il est à la fois éthique et désirable de perfectionner la vie et les corps des humains avec l'aide des nouvelles technologies.

Dans le cas des transhumanistes américains (fondateurs), on trouve une autre dimension, religieuse : non pas les religions monothéistes, mais plutôt les religions de l'Asie, surtout le bouddhisme et le zen. Rien n'est surprenant ici, car on navigue dans un milieu New Age qui ne cesse de chercher la convergence entre une éthique universelle et une idéologie de la science. Ainsi, les Lumières (dans le sens français du terme) sont assimilées à ces autres pratiques qui, en anglais, portent le même nom : *Enlightenment*. On parle même de Lumières 2.0 (*Enlightenment* 2.0) comme on parle du Web 2.0. Il va sans dire que ces discours, mais aussi ces recherches (car on a affaire à une communauté qui fait aussi la science) n'ont pas conscience de l'histoire religieuse de ces pratiques, ni de certains de leurs enjeux. Au lieu de surestimer l'histoire, ces transhumanistes veulent tout simplement l'oublier. Mais, au-delà même de cet oubli, c'est surtout le retour du religieux, d'un religieux facilement polythéiste contre un héritage occidental foncièrement monothéiste qui appelle notre regard critique. Car cette dimension religieuse n'est pas neutre. Elle s'inscrit dans une continuité et une extension des méthodes comparatives premières associées à la naissance des sciences sociales et surtout religieuses au XIXe siècle.

Pour l'anthropologue, les moyens de communication modernes, tout en intensifiant les relations, accentuent l'inauthenticité des échanges en introduisant une couche bureaucratique, une sorte d'éloignement et de fragmentation inscrits dans un cadre à la fois administratif et global. Dans *L'Anthropologie face aux problèmes du monde moderne*, Claude Lévi-Strauss identifie cette condition comme politique car elle caractérise les rapports modernes entre les citoyens et le pouvoir. C'est en partie ce qui explique son intérêt pour la première théorie de la communication, développée par Norbert Wiener et John von Neumann. L'échelle globale des structures de communication et de ce qu'on a choisi plus tard d'appeler la société de l'information invite l'anthropologue à repenser, au moins en partie, les concepts et les catégories premières de son travail. Le terrain, la méthode, les formes d'échanges et surtout les manières de tisser le lien social sont à revoir. Ainsi, on n'est pas surpris d'apprendre que l'anthropologue est plus à l'aise dans un village ou même dans un quartier de ville que dans une grande métropole. Pourquoi ? Parce que, nous dit Lévi-Strauss, « cinquante mille personnes ne constituent pas une société de la même manière que cinq cents. Dans le premier cas, la communication ne s'établit pas principalement entre des personnes, ou sur le modèle des communications interpersonnelles. La réalité sociale des "émetteurs" et des "receveurs" (pour parler le langage des théoriciens de la communication) disparaît derrière la complexité des "codes" et des "relais"[1] ». Le lien personnel reste ainsi un élément déterminant de la spécificité du regard anthropologique, un regard qui scrute, à travers les sociétés dites authentiques, l'articulation et l'apport de la pensée mythique. Dans ce contexte, les intermé-

1. Claude Lévi-Strauss, *L'Anthropologie face aux problèmes du monde moderne*, Paris, Seuil, « La Librairie du xxie siècle », 2011, p. 42.

diaires contemporains (systèmes de communication, technique, etc.) viennent approfondir l'abîme séparant mythe et histoire, sociétés authentiques et sociétés inauthentiques.

Cette perspective explique aussi l'identification par Lévi-Strauss de l'anthropologie comme la discipline humaniste et surtout comme l'aboutissement des humanismes qui ont marqué l'histoire et l'évolution des sociétés occidentales. L'anthropologie n'est pas une science nouvelle ni une discipline récente. Pour Lévi-Strauss, les trois humanismes ont toujours été anthropologiques. Déjà, dans une note de 1956 rédigée pour l'UNESCO, il identifiait les trois humanismes en conclusion à ses analyses des rapports entre les sciences et les sciences sociales. L'humanisme de la Renaissance, ancrée dans la redécouverte des textes de l'Antiquité classique, l'humanisme exotique, associé à la connaissance des cultures de l'Orient et de l'Extrême-Orient, et finalement l'humanisme démocratique, celui de l'anthropologue qui fait appel, dans ses analyses, à la totalité des activités des sociétés humaines. Soulignons que ces trois humanismes sont liés à des découvertes : dans un cas des textes, dans l'autre des cultures et leurs expressions multiples et, enfin, de l'ensemble des faits humains comme objet d'étude (mythe, oralité, etc.). Dans chaque cas, les nouveaux champs d'investigation ont donné lieu à la fois à des méthodes et à des mises en question de valeurs associées à des documents ou à des pratiques culturelles et savantes. Pour le premier humanisme, il suffit de rappeler l'exemple de Lorenzo Valla et sa démonstration philologique concernant la Donation de Constantin[1]. La philologie permet, dans ce cas, le remplacement d'un concept par un autre, rendant possible une transformation de tout premier ordre (passage de l'apocryphe et l'authentique à l'établissement de la vérité de l'énoncé sur des bases critiques et objectives). De l'authenticité d'un document à la vérité de ce qu'il énonce, la distance est énorme. Mais il ne faut non plus oublier la diversité des langues (grec et latin) qui ont fourni la base comparative essentielle pour le développement des méthodes critiques. La maîtrise des langues, le savoir historique, la critique interne fragilisent l'autorité d'une institution aussi puissante que l'Église. Pour l'humanisme exotique, les cultures de l'Orient, en favorisant le comparatisme, donnent lieu à de nouvelles sciences et nouvelles disciplines (linguistique, etc.). Le troisième humanisme, celui de l'anthropologue, a conduit, entre autres, à la méthode structurale.

Ces trois humanismes sont aussi des évolutions politiques : le premier, aristocratique, car restreint à

---

1. Lorenzo Valla, *La Donation de Constantin*, Paris, Les Belles Lettres, 1993, tr. J.-B. Giard.

un petit nombre privilégié, le deuxième, bourgeois, car il accompagne le développement industriel de l'Occident, et le troisième, démocratique, car il n'exclut aucune personne, aucune culture et surtout, aucun fait ou geste humains. Ainsi, l'histoire de l'anthropologie comme discipline est également l'histoire de l'Occident moderne et de l'ensemble de ses ambitions et tribulations. L'humanisme anthropologique est universel car il emprunte, pour sa méthode, à toutes les autres disciplines, tout en œuvrant à une réconciliation de l'homme et de la nature. Et c'est bien cette dimension universelle qui m'a amené récemment à proposer un quatrième humanisme, un humanisme numérique.

L'humanisme numérique est ainsi le résultat d'une convergence inédite entre notre héritage culturel complexe et une technique devenue un lieu de sociabilité sans précédent. Une convergence qui, au lieu de simplement renouer l'antique et l'actuel, redistribue les concepts, les catégories et les objets, tout comme les comportements et les pratiques qui leur sont associés, dans un environnement nouveau. L'humanisme numérique est l'affirmation selon laquelle la technique actuelle, dans sa dimension globale, est une *culture*, dans le sens où elle met en place un nouveau contexte, à l'échelle mondiale. Une culture, car le numérique, et cela malgré une forte composante technique qu'il faut toujours interroger et sans cesse surveiller (car elle est l'agent d'une volonté économique), est en train de devenir une civilisation qui se distingue par la manière dont elle modifie nos regards sur les objets, les relations et les valeurs, et qui se caractérise par les nouvelles perspectives qu'elle introduit dans le champ de l'activité humaine.

Un seul exemple suffirait ici. Il s'agit du statut du corps dans l'environnement numérique. Il faut ici reprendre les analyses de Marcel Mauss dans son essai «Les techniques du corps[1]». Les travaux de Mauss montrent qu'il existe un lien entre la position du corps, c'est-à-dire la manière dont le corps se déploie dans l'espace social et la nature, et la fonction des objets culturels. Dans ce contexte, on peut dire que la culture numérique est en pleine évolution. Jusqu'à présent, elle a été une culture assise, une culture du bureau et de la chaise, alors qu'elle est en train de se transformer en une culture mobile. Ce passage de la fixité vers la mobilité semble accompagner l'hybridation à la fois des objets, du temps et de l'espace. Il s'ensuit que les pratiques culturelles sont aussi modifiées : gestes, écriture, lecture et communication. Dans l'analyse de Mauss, la technologie joue un rôle essentiel : elle transmet une technique du corps, incite souvent une

1. Marcel Mauss, «Les techniques du corps», in *Techniques, technologie et civilisation*, Paris, Puf, «Quadrige», 2012.

imitation et modifie la culture locale en fonction de la présence et de l'accessibilité de l'outil technique. La familiarité, l'uniformité des pratiques et des comportements sont ici identifiées en noyau dans les rapports entre les spécificités culturelles et le pouvoir de la technique de les transformer et d'hybrider les cultures. On n'est plus dans une civilisation seulement technique, on est aussi en pleine culture numérique.

Avec le numérique, la question qui se pose est celle de l'espace habité ou, plus précisément, de la mutation des espaces habitables. Mais habitables en partie avec les interfaces et les plates-formes numériques. Ainsi, pour reprendre une expression chère à Claude Lévi-Strauss, on est en train de muter de la terre habitée – le territoire de l'ethnologue et de l'anthropologue – vers une spatialité élargie, hybride et en mouvement. La terre habitée n'est plus ce qu'elle était : de nouveaux lieux émergent sans cesse et invitent à un regard autre, à une grille de lecture et d'analyse qui prend en compte à la fois la dimension urbaine et anthropologique, mais également les spécificités et les contraintes induites par la nature numérique de ces lieux.

Lévi-Strauss parle de la « totalité de la terre habitée » pour identifier le terrain de l'anthropologie – une expression qui rappelle celle qui a jadis séduit les utopistes et leurs avatars, la « terre connue ». Quant à sa méthode, elle ne peut que reproduire cet universalisme : elle « rassemble des procédés qui relèvent de toutes les formes du savoir[1] ». Or le numérique modifie d'une manière inédite la notion même de terrain et de territoire comme celle de savoir et d'habitat. Le virtuel, le contributif, le participatif, bien qu'ils fassent souvent appel à des dynamiques connues, font aussi émerger une série de pratiques associées qui sont en effet les lieux d'une mutation concernant l'identité et ses représentations et ses liens à la fois avec la généalogie (le sang) et avec la géographie (le sol, la terre).

Digi Fictions

Dans un tel contexte, le « retour au virtuel », tant discuté au début de l'ère numérique, mérite quelques réflexions sur les liens structurants entre le virtuel comme contexte au sens large du terme et les formes d'action inscrites dans les mondes possibles mis en place par les industries du simulacre. Contexte qui est lui-même habité par des tensions, voire des contradictions caractéristiques d'une réalité souvent perçue ou présentée comme ou bien excessive ou bien défaillante. Une sorte d'oscillation se poursuit entre, d'un côté, le trop de réalité porté par des environnements immersifs et des

1. Claude Lévi-Strauss, *op. cit.*, p. 53.

prototypes d'augmentation et, de l'autre, une supposée pauvreté de cette même réalité, appartenant comme elle le doit à l'ordre du simulacre et de la simulation et peuplée par un éloignement du concret, du vrai ou du moins de la vraie réalité. Dans cette perspective, le retour au virtuel ne serait qu'un symptôme d'une négociation continue avec les contraintes issues d'une banalisation et d'une généralisation des moyens non pas seulement de participer au virtuel mais plutôt de le créer. Tendance qui nous est familière car elle participe à une mouvance habituelle au sein de l'écosystème numérique actuel. Les industries du simulacre reposent de plus en plus sur une forme participative invitant les acteurs à modifier le monde qu'ils peuplent dans une sorte de mise en abîme du virtuel. Mieux encore, ces espaces virtuels communiquent de plus en plus avec le «réel». Qu'il s'agisse de transferts de données ou de valeurs (monétaires ou autres) entre les deux, ou bien de dissémination de données, de valeurs ou d'identités.

Dès lors, pourquoi choisir de parler d'*habitus*? Le mot comme le concept sont tellement investis par la réception de la pensée de Pierre Bourdieu (en tout cas en France) qu'il est devenu presque impossible de les dissocier. Je n'ai ni les compétences ni l'intention de récapituler et poursuivre ce débat méthodologique. Ce qui m'intéresse dans l'habitus, c'est tout simplement la coexistence des usages savants et des usages populaires[1]. Cette cohabitation se traduit également dans le passage du mot latin en anglais et en français : *habit* comme costume et *habit* comme habitude. Si l'adage latin exprimait déjà cette parenté : *Sicut vestis corpus, it habitus vestit* (L'habitus habille l'âme comme le vêtement le corps), les jeux vidéo, en tout cas certains d'entre eux, nous permettent de suivre, dans un milieu ordonné, cette dynamique de l'habitus. C'est en ce sens que dans le virtuel et ses industries, l'habitus rend possible l'inscription du corps dans une pratique essentiellement imaginaire, mais qui est implicitement une interactivité, naguère implicite, et aujourd'hui visible. Souvent la première action consiste à habiller son corps. Dans SecondLife, l'avatar est nu et neutre : il faut lui donner une identité, et cette identité se construit dans ses premiers gestes par les vêtements. Dans des jeux comme Halo, les vêtements sont en effet des uniformes qui spécifient des identités de groupe, des allégeances, des pouvoirs et surtout des choix explicites. La hiérarchie dans une grande partie de jeux participatifs est signifiée par les costumes et les *pins*, des marques de distinction qui délimitent le champ d'action du joueur.

1. Voir l'excellent texte de de François Héran, «La seconde nature de l'habitus. Tradition philosophique et sens commun dans le langage sociologique», *Revue française de sociologie*, 1987, vol. 28, n° 3, p. 385-416.

Un autre élément frappant de ces liens entre l'habit et le virtuel est, bien sûr, les outils, en tout cas les premiers outils de la réalité virtuelle. Nous avons tous à l'esprit ces gadgets, ces objets d'augmentation qui permettaient naguère à l'individu d'interagir, par le corps, avec le virtuel ou ce que l'on a choisi de nommer la réalité virtuelle. Des gants, des casques, des tissus servaient comme d'interface entre le réel et le virtuel. La simulation se jouait dans l'acte, dans une forme du faire portée par le corps et ses gestes. L'habit était le moyen d'actualiser dans un espace dit virtuel. Il me semble important de revisiter cette itération du virtuel car elle mettait en place une forme primitive d'un dispositif qui explicite des formes implicites, intériorisées, d'action et de médiation. La force de l'habitus comme interface réside précisément dans cette circulation entre des formes d'action ordinaires et des actions émergentes. Reste à savoir si ces formes émergentes seront ouvertes au libre choix ou bien si elles seront soumises à des exploitations intelligentes des habitudes et des coutumes formées par les mondes virtuels. De ce point de vue, l'opinion de Jaron Lanier, l'inventeur de la Virtual Reality, est éloquente : « *You are not a gadget*[1]. »

---

1. Jaron Lanier, *You Are Not a Gadget. A Manifesto*, New York, Vintage Books, 2011. Le livre a donné lieu a de multiples polémiques. Lanier est, dans un sens très précis, l'héritier de Norbert Wiener, surtout dans la

Dans son analyse de la dérive collective liée au virtuel, Lanier identifie un élément qui nous intéresse ici sans que nous partagions nécessairement toutes ses conclusions : les effets formatants et normatifs des espaces virtuels. Ses réflexions posent une question décisive, celle de la tension fondatrice entre efficacité structurante et écarts déterminants. Au fond, il s'agit d'interroger, dans le cadre de ces environnements virtuels, les rapports entre un déterminisme incarné par le formalisme du code, et par les algorithmes, et les configurations de dissemblance efficaces possibles. La tendance vers le collectif dans le jeu comme dans la sociabilité numérique remet en question la nature des liens entre l'individu et la collectivité car elle émane, dans ses déclinaisons, de pratiques qui sont façonnées par cet habitus virtuel. En d'autres termes, ce sont des formes d'intelligence qui semblent être en conflit ici. Intelligence collective, intelligence de groupe et intelligence de masse, d'une part, et une sorte d'intelligence de l'individu et de la singularité, voire de la distinction, d'autre part, qui se trouve valorisée d'autant plus que le contexte général semble soumis aux exigences d'une communauté.

---

perspective de son essai *God & Golem, Inc* (Cambridge, Ma., MIT Press, 1966), disponible en ligne [http://luisguillermo.com/diosygolem/god_and_golem_inc.pdf].

Les enjeux sont à l'évidence importants surtout si l'on pense aux exploitations commerciales de ces relations. Mais ils sont également considérables dans la mesure où ils concernent une manière de penser les données, certaines données, et les liens entre traçabilité et mémoire. Si la traçabilité est l'incontournable de l'environnement numérique, elle est en même temps, dans le contexte des mondes virtuels et des jeux vidéo, une variation sur la mémoire qui met en scène corpo-réalité, présence et action. Les données sont ici, à la différence des traces ordinaires, souvent associées à des intentionnalités émanant de l'univers du jeu, des intentionnalités susceptibles de fonder des croyances et de communiquer des finalités. C'est bien ce glissement qui est, en fin de compte, une résultante d'un dépla-cement d'ordre diégétique qui me semble important, surtout dans un regard sur le virtuel tel qu'il se déploie de nos jours dans l'environnement numérique.

Il faut à ce stade, me semble-t-il, retourner vers les premières ébauches de cette «virtualisation» de la représentation de l'intelligence dans l'informatique et le numérique. Rappelons-nous que les deux textes fondateurs de l'intelligence artificielle comme moteur de l'informatique moderne, ceux de Von Neumann et de Turing, avaient pour objectif la construction d'une mémoire informatique capable d'accueillir les opéra-tions et les résultats des instructions d'un ordinateur.

Dans les deux cas, une forme de mimésis se révèle décisive. Pour Von Neumann, la structure des circuits de l'ordinateur théorique (EDVAC) reproduit et imite les structures des neurones. Von Neumann suggère que la transmission de l'information dans le système ressemble au télégraphe et que, à terme, il serait possible de reconstituer les mécanismes mémoriels au sein d'une machine. Il n'est pas question pour lui de spéculer sur une forme de pensée ou d'intelligence au sens fort du terme dans le contexte de la description de l'ordinateur. Pourtant, l'imitation occupe une place cruciale dans la conception comme dans la mise en œuvre de sa machine. Turing en revanche, tout en insistant sur la fonction de l'imitation, va construire un jeu dont le but premier est de permettre une évaluation des opérations de l'ordinateur, une évaluation qui est comparative. C'est par là qu'il innove car il rend possible, en dépassant les difficultés classiques posées par les définitions à la fois de la pensée et de l'intelligence, un espace ludique. Dans le cadre du jeu, les qualités ne sont pas absolues : elles sont plutôt relatives puisque les perceptions des joueurs, ou les résultats, déterminent les conclusions. Ainsi, dans sa version la plus simple, le Turing Test est une estimation et un dénombrement de ce qu'est, au cours d'une conversation, la reconnaissance de l'humain. Ce qui importe ici, c'est que l'ordinateur ou la machine est déjà un joueur, que c'est bien le jeu qui autorise son intelligence. Le contexte n'est pas seulement un prétexte ; il est un ancrage : il répond à une forme délibérative, il organise des échanges qui activent la mémoire sociale (reconnaître une homme ou une femme, dans le cas de Turing) en vue d'une appréciation de l'intelligence. L'interactivité, élémentaire en ce cas, est devenue aujourd'hui plus ample et surtout plus complexe et plus riche dans les environnements de divertissements numériques.

Le texte de Turing[1] est d'autant plus révélateur qu'il met en scène le provisoire et l'éphémère comme modèle non pas de l'intelligence mais de l'apprentissage et de la pensée. La validité éphémère, c'est bien la condition de l'évolution algorithmique. Le numérique, dès ses premières origines, a toujours ainsi été l'expression d'une volonté de dépasser le calcul, tout calcul orienté vers des fonctionnalités précises, vers une connaissance du monde, un savoir sans limites. Une telle orientation implique un engagement continu dont la visée principale est le dépassement d'un certain inconnu, l'élimination progressive de l'ignorance. Ignorance de la réalité, de ses objets ; ignorance des comportements, des coutumes et des cultures. Ainsi, le numérique, dès son enfance, est

---

1. Pour une version française des textes d'Alan Turing, voir *La Machine Turing*, Paris, Seuil, « Points », 1995, édition de Jean-Yves Girard.

habité par cette ambition portée par ce que Turing désigne comme la «validité éphémère» des règles constitutives du code informatique. Le code, on le sait aujourd'hui, est un discours, une dynamique d'apprentissage, qui ne cesse de modifier le contexte, tout contexte, et au fur et à mesure, de nous modifier. Déjà, chez Turing, la machine (il faudrait dire les machines, car le pluriel est essentiel, dans la mesure où Turing, dans ce texte fondateur, ne parle jamais de la machine sauf pour désigner ou bien son enfance ou bien son versant humain – «the human computer», l'humain), sa machine pensante, échappe aux règles, comme elle échappe à l'homme conçu, dans un premier temps, comme enseignant et instituteur. Une sorte de conversion numérique de la reconnaissance (l'élément déterminant du «jeu de l'imitation» à l'origine de la conception de ces machines), de la mimésis comme fondement de l'éducation et de l'apprentissage. Le codage est bien un dressage, mais dressage de l'humain. C'est en ce sens que le code, dans son déploiement actuel au sein des environnements numériques, réinvente l'habitus classique.

Ce premier jeu, d'une simplicité décevante, n'est en effet qu'un leurre. Comment passer de la première interrogation, de cette première question qui semble un défi philosophique et technique (les machines peuvent-elles penser?), à ce déplacement sans fin qui ne cesse de modifier le statut de la pensée? Comment expliquer aujourd'hui, dans le contexte de la naissance de l'informatique, que cette qualité tant désirée qu'est l'intelligence est le résultat d'une mise en scène d'un échange (ou de la simulation logique d'un tel échange), d'un dialogue, d'une conversation (encore une fois, une sociabilité dès les premiers pas du numérique) qui débouche sur une reconnaissance, une identification on ne peut plus primordiale : homme ou femme? Ce qu'il importe de retenir pour notre propos, c'est que la conception de ces machines pensantes procède par une transformation radicale du monde : le monde est bel et bien un jeu, mais il est surtout une interface soumise aux exigences des machines. Ainsi va la conversion numérique, comme le jeu imaginé par Turing : des interfaces locales, avec des buts bien définis, on passe à la mutation du monde lui-même en interface, mais interface vers l'univers des machines pensantes, des machines apprenantes. L'humain n'est ni le modèle ni le paradigme ; il n'est qu'un point de départ, un trébuchement. Car ce qui caractérise la pensée, toute pensée, c'est bien cette capacité de sonder et de produire de l'imprévu, de découvrir de l'imprévisible. Les machines pensantes, ces enfants qui sont presque des *tabula rasa*, profitent de cette « validité éphémère » des règles afin d'habiter le monde hybride qu'elles ont en grande partie produit.

Cette vision, il s'agit d'insister sur ce point, n'est ni anti-humaniste ni transhumaniste. Elle n'est que la conséquence de la spécificité de l'informatique dans sa mutation en numérique. L'éphémère, l'imprévu, l'inconnu sont les agents de l'évolution du code et de sa participation au monde. Ainsi, le code n'est pas une simple exécution d'instructions (malgré leur complexité), ni exclusivement normatif, mais plutôt interactivité agissante, une sorte de pédagogie inversée, une éducation sans fin. Penser de nos jours la technique, c'est surtout et avant tout penser le code. Ce qui nécessite un nouveau regard sur la notion même de technique ancrée telle qu'elle l'est souvent dans des visions métaphysiques ou bien des pensées de médiation, alors que le numérique appelle une interprétation humaniste, mais au sens, pour reprendre l'expression de Turing, de l'ordinateur humain («the human computer»). La «raison computationnelle», en tout cas pour Turing, n'est pas associée exclusivement à une exploitation mathématique ou statistique des données disponibles, ni à un formalisme dérivé de procédures logiques. Elle se nourrit des modifications créatrices permises par le jeu des «validités éphémères», par les tribulations de l'apprentissage, par l'émergence d'une culture, d'une civilisation fondée sur la *paideia* (l'«éducation»). C'est pour ces raisons que le numérique ou bien ces machines pensantes ne sont ni des monstres ni un Golem. Chez Turing, elles participent de l'imagination (le mot revient sans cesse dans le texte), elles sont en quelque sorte le produit d'une naturalisation effectuée par l'éducation et l'apprentissage. Dans ce contexte, les considérations actuelles sur le rôle ou le statut du numérique dans la formation souffrent en partie des faiblesses d'une conception trop technique.

Cette généalogie me semble révélatrice car elle explique en partie les orientations actuelles à la fois de la réalité virtuelle et de certains jeux vidéo. Comme on l'a vu rapidement avec l'habitus et l'habit, les périphériques de certains jeux incorporent les deux fonctions. Dans un premier temps, le modèle était celui de l'augmentation. Vint ensuite l'interface et on s'approche là de ce que l'on pourrait qualifier d'extension. Une augmentation pour que les fonctionnalités se projettent et s'amplifient dans l'espace d'un virtuel. L'interface est une phase transitoire, puis, avec la Wii et la Xbox 360, c'est la position et la mobilité du corps qui sont intégrées à l'espace virtuel. On retrouve ici des caractéristiques de l'habitus dans la manière dont il saisit à la fois l'apparence symbolique du corps dans un espace social hiérarchisé et l'expression de formes implicites de socialisation intégrées dans le paraître. Cette réalité rend compte également d'un changement de vocabulaire important, le passage de la « réalité virtuelle » vers le Métavers[1] (traduction du « Metaverse » de Neal Stephenson dans *Snow Crash*[2]). Ce Méta-Univers (comme le dit Stephenson : « Le métavers est une invention de ma part, qui m'est venue à l'esprit quand j'ai réalisé que les mots existants (comme réalité virtuelle) étaient trop inadéquats pour être employés ») est censé réunir tous les éléments participant à notre réalité actuelle. Stephenson, qui avait déjà revisité les héritages de Von Neumann et de Turing dans *Cryptonomicon*, est pionnier dans l'articulation entre la fiction et la technique. Son Métavers, devenu synonyme de mondes virtuels persistants, illustre ce passage continuel entre la fiction et le numérique, qui nourrit à la fois l'imaginaire informant la construction des espaces sociaux et les utilisations les plus diverses des mondes persistants.

Pour mieux apprécier l'apport des romans de Neal Stephenson, il nous faudrait traverser toute son œuvre. Mais un regard rapide sur son dernier roman, *Reamde*, suffira car il participe d'une nouvelle tendance de la science-fiction et qui à mes yeux est aujourd'hui de l'ordre de la digi-fiction (je suis tenté de parler de

1. http://fr.wikipedia.org/wiki/Métavers
2. Un des avantages du Metavers est qu'il évite les débats autour du mot virtuel, son histoire et ses usages philosophiques dans le cadre de l'environnement numérique. Neal Stephenson, *Snow Crash*, Bantam Spectra Books, [1992] 2000 et pour la traduction française, *Le Samouraï virtuel*, Paris, Librairie générale française, 2000.

Digital Fiction dans le sens où l'on parle de Digital Humanities, un nouveau genre qui s'élabore, au-delà du Cyberpunk et de ses dérivés, dans un dialogue avec l'écosystème numérique dans toutes ses dimensions). Digi Fiction désigne un genre émergent qui, pour la construction narrative, s'autorise des jeux vidéo, des personnages virtuels afin de nourrir la narration. Ce genre, dans ses usages les plus prometteurs, met en scène une réciprocité entre les mondes dits virtuels (jeux, mondes persistants, etc.) et la réalité décrite par la fiction. Si cette tendance n'est pas nouvelle, elle est de plus en plus marquée car elle rend visible les enjeux concernant le statut de la narration et surtout celui de la clôture narrative dans l'environnement numérique. L'exemple récent de la dernière version de Mass Effects 3[1] est éloquent : le choix de la « conclusion » du jeu ne pouvait pas ignorer les options mises en œuvre par les joueurs. C'est bien la cohérence narrative du jeu qui était l'objet des polémiques, et la vie des personnages animés par les joueurs devaient décider des conclusions possibles du jeu.

Le passage de plus en plus prononcé entre fiction et jeux, entre numérique et vécu, entre informatique et numérique ne peut que se conjuguer avec les nouvelles

1. Pour les détails de la controverse, voir l'article de Wikipedia disponible en ligne [http://fr.wikipedia.org/wiki/Mass_Effect_3].

formes de sociabilité et les rapports entre l'individu et le collectivité. De nos jours, si le village est devenu global et les moyens de communication universels, le local reprend ses droits et son autorité au nom de la nouvelle géographie humaine portée par la géolocalisation et ses effets sur l'environnement et les usages numériques. Le numérique modifie et la ville et le village ; il dessine un nouvel espace partagé entre réel et numérique. L'espace hybride de la culture numérique constitue une nouvelle manière de faire société, avec ses mythes, ses inédits et ses utopies. L'humanisme numérique est une manière de penser cette nouvelle réalité. Lévi-Strauss a déjà perçu à sa manière cette mutation à travers le regard comparatif qu'il porte sur l'Occident et le Japon. Dans un chapitre intitulé « Sengai. L'art de s'accommoder au monde », il remarque : « Dans la France d'aujourd'hui, seuls mériteraient d'être appelés calligraphes les auteurs d'inscriptions dites "tags", lisibles pour les initiés sur les murs et les voitures du métro[1]. » Nouveaux auteurs, nouvelle forme de calligraphie, portés par des signes et des lectures en mutation. C'est bien ce même jeu entre le social et l'individuel aujourd'hui nourri par le numérique qui constitue la cohérence et la pertinence de l'humanisme.

1. Claude Lévi-Strauss, *op. cit.*, p. 50.

Nouvelle éthique?

Le numérique est certes un produit occidental, mais il est aujourd'hui une réalité globale. Les modèles qui sous-tendent le fonctionnement du numérique sont tous ou presque tous dérivés de l'expérience occidentale : le document et ses évolutions comme ses valeurs, la notion de personne et d'identité, le concept de patrimoine et d'archive, les représentations visuelles des manipulations et de leurs symboles (icônes, etc.). Tous ces éléments devenus la vulgate de notre expérience quotidienne, y compris la notion d'amitié, simplifiée et transformée en agent constitutif de la sociabilité numérique, sont les produits de l'exploitation technique des catégories historiques et socio-culturelles occidentales. Une question demeure : comment, dans ce contexte, imaginer l'évolution de l'environnement numérique, selon des chemins qui ne seront plus exclusivement ceux de l'Occident et de ses concepts et ses catégories ? Les pratiques démocratiques elles-mêmes semblent être modifiées par le numérique, ainsi que l'illustre le cas du Printemps arabe.

Si l'on cherche un regard philosophique sur cet humanisme, il nous faut relire, dans le contexte actuel, le texte de Husserl prononcé en 1935 sous le titre (français) de *La Crise de l'humanité européenne et la philo-*

sophie[1]. L'argument de la « Krisis » se déploie autour d'une problématique qui articule trois humanismes : un humanisme fondateur, abstrait et théorique et issu du savoir et de la philosophie grecque, un humanisme théorique développé à partir de la Renaissance et ses savoir-faire, et, enfin, un humanisme européen (il faut entendre ici occidental), celui de la crise de la première moitié du xxᵉ siècle. Husserl, à sa manière, pose le problème fondamental qui est le nôtre aujourd'hui avec la culture numérique et ses ambitions universelles : les trois humanismes identifiés par Husserl montrent que la crise vient du clivage de plus en plus prononcé entre les sciences dites exactes et les sciences de l'esprit. En d'autres termes, l'écart entre des paradigmes d'exactitude et de mesurabilité, et leurs formes de rationalité, et des valorisations d'ordre culturel. Les analyses de Husserl mettent en question l'universalité de la rationalité scientifique et technique, et nous ajouterons, de nos jours, numérique en rappelant le rôle fondateur de la communauté dans la production et le partage du savoir. Ce qui explique sa conclusion, renvoyant à la *paideia* grecque, dans son sens le plus simple mais le plus efficace et pour nous le plus pertinent : une transmission du savoir qui élimine, théoriquement, le

1. Traduction française du texte de Husserl disponible en ligne [http:// www.ac-grenoble.fr/PhiloSophie/file/husserl_depraz.pdf].

non-savoir. Une pédagogie qui est une responsabilité collective, inscrite dans la structure même de la *polis*. Une pédagogie nous invitant à revisiter les liens entre sciences et cultures et à favoriser ce que j'ai choisi de nommer humanisme numérique[1].

Cet humanisme numérique est en quelque sorte une anthropologie philosophique non pas du virtuel mais tout simplement du numérique dans toute sa diversité et sa densité. Pour l'anthropologue, les moyens de communication modernes, tout en intensifiant les relations, accentuent l'inauthenticité des échanges en introduisant une couche bureaucratique, une sorte d'éloignement et de fragmentation inscrits dans un cadre à la fois administratif et global. L'échelle globale des structures de communication et de ce qu'on a choisi plus tard d'appeler la société de l'information invite l'anthropologue à repenser, au moins en partie, les concepts et les catégories premières de son travail. Le terrain, la méthode, les formes d'échanges et surtout les manières de tisser le lien social sont à revoir.

Cette conversion de nos sociétés appelle de nouvelles compétences, de nouvelles littératies. Il ne suffit plus de savoir lire et de savoir écrire, il nous faut maintenant

1. Une autre vision des liens entre l'humanisme et le technologique se retrouve chez Gilbert Simondon, dans le cadre de l'encyclopédisme et de l'émergence de la technique. Voir par exemple, *Du mode d'existence des objets techniques*, Paris, Aubier, 2001.

d'autres savoirs et de nouvelles pédagogies. Des savoirs issus du numérique, de ses critères émergents et de ses repères propres. Il est certes possible de voir dans le numérique une nouvelle convergence entre l'humanité et la technologie. Si tel est le cas, il ne s'agit nullement de renouer avec les divers discours et théories transhumanistes, apôtres d'une utopie du progrès. Loin de là. Il s'agira au contraire de déployer une pensée pragmatiste et politique : accepter les mutations introduites par le numérique et insister sur l'indissociabilité de nos valeurs et de l'accès au contenu ne sont que les premiers pas dans notre aventure avec cette nouvelle technologie devenue partie intégrale de notre existence. Le numérique est une nouvelle manière de fabriquer de la mémoire et de l'interpréter. En ce sens, il nous oblige à repenser nos rapports avec ce qui est déjà mémorisé mais également à imaginer de nouvelles façons de préserver et exploiter nos productions purement numériques. Les enjeux sont énormes car nous vivons une période de transition dans laquelle la gestion de cette mémoire, des écrits comme des identités est floue et indécise. Notre défi est de travailler ensemble sur les modalités d'une nouvelle forme de gestion de la mémoire, de l'identité et du savoir, et d'élaborer une éthique.

Et cette éthique est à inventer car elle se situe entre les deux éthiques identifiées par Max Weber, celle de l'homme politique et celle du savant. Deux éthiques, l'une animée par la conviction, la seconde par la responsabilité. Les conflits d'autorité et de légitimité, tout comme les pratiques émanant du code, nous incitent à trouver une autre voie. C'est bien là le projet d'un humanisme numérique.